un lieu, des hommes, une histoire
Collection dirigée par Martine et Daniel Sassier

UNE FORTERESSE AU TEMPS DES CROISADES LE KRAK DES CHEVALIERS

PHILIPPE BROCHARD
Illustrations de PIERRE BROCHARD

ALBIN MICHEL JEUNESSE

INTRODUCTION

Un château fort en Terre Sainte

Au sommet d'une colline, à mi-chemin entre les montagnes et la mer, le Krak dresse ses ruines imposantes.

Qui fut le premier occupant de ce lieu ? Nul ne le sait avec exactitude. « Kraka », en syrien, cela signifie : forteresse.

Il est certain qu'une place forte a été établie très tôt, peut-être dès l'Antiquité, à l'époque des Phéniciens, sur ce belvédère qui permet d'embrasser d'un seul coup d'œil la vallée et les environs du Nahr el-Kébir.

Là, au pied des collines, s'étend une plaine fertile : la Bekaa. Une route y serpente. Pendant des siècles et même des millénaires, des caravanes l'ont empruntée. Sur le dos des bêtes de somme voyageaient quelques colis au contenu fabuleux : tissus de prix, soie, épices, pierres précieuses...

Les croisés, en s'installant ici, ont-ils troublé cet ordre très ancien ? Certainement pas. Ils se sont adaptés. Mais leurs expéditions, les croisades, qui ont duré de 1097 à 1291, ont cependant changé bien des choses dans cette partie du monde.

Le Krak est un superbe château fort. Presque aussi célèbre que le Parthénon ou les Pyramides, c'est un exemple maintes fois cité d'architecture militaire.

Mais cette forteresse représente bien plus encore. A l'ombre de ses murs, et pendant des siècles, des hommes ont vécu. De 1142 à 1271, ils étaient chevaliers, moines-soldats respectueux d'une règle qui était celle des Hospitaliers de Saint-Jean-de-Jérusalem. Ils ont si bien imprimé à l'endroit la marque de leur présence que le château a conservé leur nom. Nous l'appelons toujours : le Krak des Chevaliers.

A la découverte du Krak des Chevaliers

A 120 kilomètres au nord de Damas et de Beyrouth et à moins de 20 kilomètres de la mer Méditerranée, le Krak des Chevaliers se situe à 650 mètres d'altitude. Sur les cartes modernes, il est indiqué sous le nom d'« Hosn el-Akrad » et se trouve en territoire syrien, non loin de la frontière du Liban.

Il y a encore peu de temps, il ne nous aurait pas été possible de raconter la vie de ce château avec autant de précision. En effet, pendant plusieurs siècles, les bâtiments construits par les croisés en Orient avaient sombré dans l'oubli et ne suscitaient plus aucun intérêt. Ce sont des voyageurs qui, les premiers, au XIXᵉ siècle, en ont ranimé le souvenir. Plus tard, un architecte des Monuments Historiques, Emmanuel-Guillaume Rey, s'est passionné pour ces constructions. En 1859, il a établi un relevé extrêmement précis du Krak.

De 1927 à 1936, une mission archéologique française a été envoyée sur les lieux. Pendant près de dix ans, cette équipe, menée par Paul Deschamps, s'est chargée de remettre le château en état. Il n'était pas inhabité car, depuis des siècles, des gens s'y étaient installés. Il a fallu d'abord reconstruire un nouveau village pour les 530 habitants qui occupaient les ruines. Peu à peu, les ouvriers ont alors exhumé des blocs sculptés, remis en place de nombreuses pierres taillées et dégagé des quantités de terre et de débris. La salle de 120 mètres était encombrée par 50 000 tonnes de détritus !

Enfin, le Krak des Chevaliers a repris forme.

L'auteur et le dessinateur de cet ouvrage ont compulsé avec soin le compte rendu rédigé par Paul Deschamps; mais souvent, les murs restent muets devant les nombreuses questions que les historiens se posent.

Dans les textes écrits au temps des croisades, il est, bien entendu, fait mention du Krak, que l'on orthographie alors « Crac » ou même « Crat », mais jamais « Krak » comme c'est le cas dans les ouvrages modernes.

La vie des chevaliers de l'ordre de Saint-Jean-de-Jérusalem nous est également assez bien connue, car cet ordre a subsisté jusqu'à nos jours sous le nom d'ordre de Malte. Des documents existent, mais ils sont rares et les indications qu'ils nous apportent restent fragmentaires. Heureusement, les historiens détiennent aussi les récits écrits par les musulmans qui ont participé aux guerres contre les croisés. Nous connaissons donc en détail certains épisodes de la vie du Krak, tels le tremblement de terre ou la chute de la forteresse qu'Ibn Schaddad nous raconte pratiquement heure par heure.

Cependant, de nombreuses lacunes subsistent : des textes ont disparu, volés, brûlés ou simplement égarés; des bâtiments, ceux qui étaient en bois, n'ont laissé aucune trace. Comme nous ne savons pas tout, il a fallu recréer.

L'auteur et le dessinateur ont donc fait appel à toutes les sources de renseignement possibles. En procédant par recoupements, ils ont pu ainsi tenter de reconstituer la vie de ce qui reste l'un des meilleurs exemples d'un château fort au Moyen Age.

Un château sur la route de Jérusalem

Ils ont franchi les Alpes, traversé le nord de l'Italie, la Yougoslavie puis la Grèce. C'était l'hiver. En voyant Constantinople, ils se croyaient déjà à Jérusalem. Mais un été, puis un hiver et un autre été sont passés, en combats, en sièges et en guets-apens. Ils sont restés huit mois sous les murs de la ville d'Antioche avant de s'en emparer. Et voilà plus de deux ans que les croisés sont en route !... Mais aucun n'a oublié ce jour où le pape, Urbain II, est venu chez eux pour prêcher la croisade. Ils sont Provençaux, Toulousains, Auvergnats, Dauphinois... Avec d'autres encore, plus de trente mille en tout, ils ont obéi : « Deus le volt ! » Dieu le veut. Ils ont abandonné leur pays, leur château et leur famille. Ils ont laissé leur femme et leurs enfants à la merci de tous les dangers pour libérer Jérusalem. Mais qu'elle est loin, la Ville Sainte !

ARMES DE TOULOUSE

A plus de quatre mille kilomètres de leur pays d'origine, les guerriers croisés sont complètement isolés. Ils ont dû transporter leur matériel et toutes leurs armes. Sur des chariots, les casques, les boucliers, les cottes de mailles, les lances et les épées sont rangés en bon ordre.

Les vivres ne doivent pas manquer non plus, surtout pour les chevaux qui mangent de grandes quantités de foin et de grain. Le chemin est mauvais, un accident est vite arrivé, et le conducteur d'un chariot doit s'employer à remettre le plus tôt possible son véhicule sur la route.

Les hommes, eux, ont appris à se nourrir comme les gens du pays. Certains ont adopté les vêtements arabes, d'autres savent déjà monter un chameau. Le soleil brille : l'hiver, ici, est moins rude qu'en Occident. Nous sommes le 29 janvier 1099.

ARMES DE PROVENCE

CHEPTEL

CHARIOT D'INTENDANCE

Les mots en gras renvoient au lexique en fin de volume.

Hosn el-Akrad

L'**émir** d'Homs est l'un des plus grands défenseurs de la foi musulmane. Il a confié ce château à d'excellents combattants : les Kurdes. Pour cette raison, on nomme la place forte « Hosn el-Akrad », le Château des Kurdes.

Le 29 janvier 1099, les chrétiens réussissent cependant à s'en emparer. Ils s'y installent et le gros des troupes continue son chemin vers Jérusalem. La ville sera prise à la fin de l'année. Les croisés créent alors en Terre Sainte de nouveaux États : trois royaumes, deux comtés, une principauté. Hosn el-Akrad devra défendre le comté de Tripoli.

Mais les Provençaux et les Toulousains qui en ont reçu la charge manquent d'argent et de moyens. En 1115, ils subissent un premier siège. Pour tenir avec les moyens dont ils disposent, ils fortifient la place avec des palissades de bois et entament des travaux plus importants pour renforcer l'ancien château des Kurdes. Ils construisent un formidable donjon formé de trois énormes tours. Dans leur langage, Hosn el-Akrad devient « Le Crat », « Le Crac ».

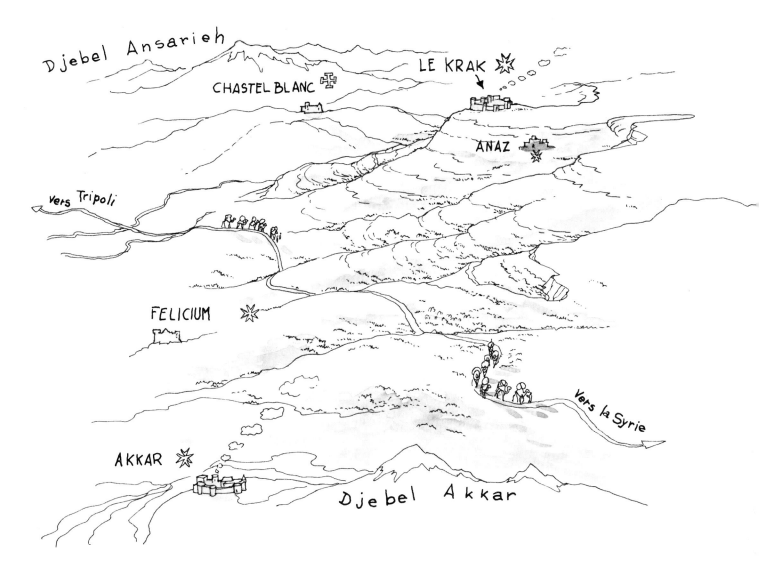

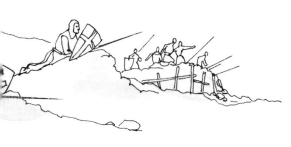

Situé sur un promontoire au pied du djebel Ansarieh, un massif de hautes montagnes, le Krak domine la Bekaa. Cette plaine, que l'on nommait alors la Bocquée, s'étend jusqu'au bord de la Méditerranée. C'est un pays riche et fertile ; arbres fruitiers, céréales, légumes y abondent. Une route importante passe ici : les caravanes qui l'empruntent rejoignent le centre de la Syrie, Homs, Damas, Bagdad et l'Extrême-Orient. Elles apportent de grandes quantités de marchandises précieuses, telles que la soie ou les épices.

Pour mieux contrôler le pays, les croisés confient les points stratégiques à des ordres hospitaliers. Ceux-ci possèdent un véritable réseau de châteaux forts qui peuvent communiquer entre eux à l'aide de pigeons voyageurs, par exemple, ou de signaux de fumée. Les chevaliers de Saint-Jean-de-Jérusalem reçoivent le Krak en 1142.

Les hospitaliers à la rescousse

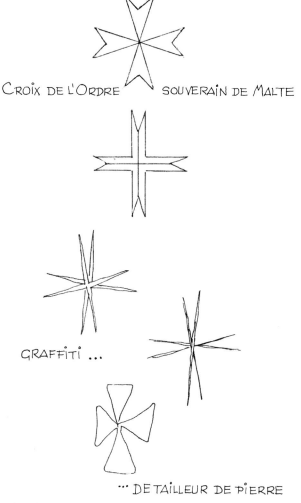

CROIX DE L'ORDRE SOUVERAIN DE MALTE

GRAFFITI ...

... DETAILLEUR DE PIERRE

Afin de se recueillir à Jérusalem, à Bethléem ou à Nazareth, les chrétiens d'Occident n'hésitent pas à couvrir des centaines et des milliers de kilomètres, par voie de terre ou par bateau. Qu'ils soient riches ou qu'ils soient pauvres, pour eux, il n'y a pas de devoir plus sacré que d'accomplir le pèlerinage sur les lieux qui ont vu naître, vivre et mourir Jésus-Christ. Mais depuis le VIIe siècle, les Lieux Saints sont soumis à des peuples qui ne sont pas chrétiens et qui suivent, eux, la parole de Mahomet.

A la fin du XIe siècle, le pape décide d'appeler tous les chrétiens à l'aide et les lance sous le signe de la Croix : c'est la croisade. Pendant tout le XIIe et le XIIIe siècle, les expéditions vers l'Orient seront innombrables. Mais, pour plus de commodité, on distingue généralement huit grandes croisades. Des personnages prestigieux se mettent à leur tête : le roi d'Angleterre Richard Cœur de Lion, les empereurs germaniques Frédéric Barberousse et Frédéric II, les rois de France Louis VII, Philippe Auguste et saint Louis.

Un mouvement de foule

En 200 ans, des centaines de milliers de gens prennent le chemin de Jérusalem. Pour assurer leur transport, de véritables compagnies commerciales se créent. Les bateaux, surchargés de passagers, effectuent le voyage en trois ou quatre semaines. Ils partent d'Aigues-Mortes, de Gênes, de Venise ou d'Amalfi.

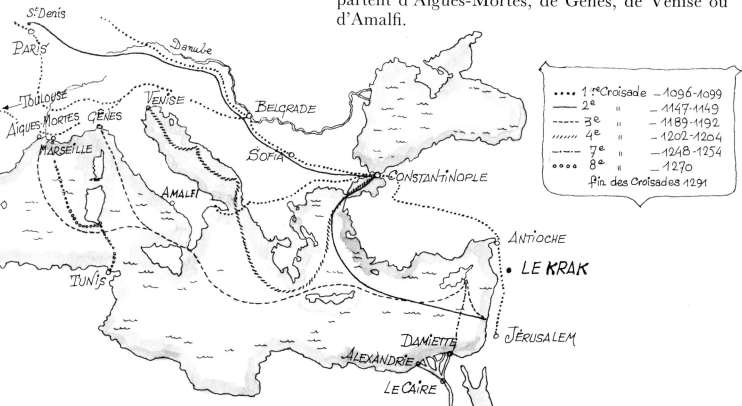

••••	1re Croisade	— 1096-1099
——	2e ''	— 1147-1149
- - - -	3e ''	— 1189-1192
/////	4e ''	— 1202-1204
-·-·-	7e ''	— 1248-1254
°°°°	8e ''	— 1270

fin des Croisades 1291

Après la première croisade, les croisés ne sont plus tous des guerriers. Il y a parmi eux des moines, des prêtres, des femmes, des enfants, des vieillards, des artisans, des paysans...

Pour héberger tous ces pèlerins, les marchands d'Amalfi fondent un hospice à Jérusalem sous le patronage de saint Jean-Baptiste. Les membres de cet hospice font preuve d'un tel dévouement qu'ils provoquent l'admiration des autres croisés. Certains grands seigneurs veulent y servir à leur tour. D'autres, par charité, donnent des vêtements, des vivres, des terrains. Ils attribuent aussi des rentes en monnaie.

Les trois missions de l'Ordre

Les Hospitaliers de Saint-Jean-de-Jérusalem font tant de choses que le pape les réunit, en 1113, en un ordre religieux. L'Ordre est ouvert à tous, nobles ou non. Les **chevaliers** seront les chefs militaires; ils prendront les décisions importantes. Les **servants d'armes,** attachés aux chevaliers, seront chargés pour leur part de toutes les besognes subalternes. Les **chapelains conventuels,** eux, sont des prêtres. Ils doivent assurer les prières, l'administration et les soins médicaux. A l'origine, les Hospitaliers sont Italiens. Très vite des Provençaux, des Auvergnats, des Savoyards, des Toulousains viennent grossir le nombre. La tradition affirme que la croix à huit branches qui symbolise l'Ordre représente les huit langues qu'on y parle. Au cours des temps, l'Ordre prend une importance considérable. Totalement indépendant de l'autorité des seigneurs, il n'a de comptes à rendre à personne sinon au pape.

LES TROIS FONCTIONS DE L'ORDRE :

● CHEVALIER

● SERVANT D'ARMES

BLASON DU GRAND MAÎTRE ROGER DES MOULINS -1187

●CHAPELAIN CONVENTUEL

Un défilé étroit au creux de montagnes sombres : c'est la passe d'Akkar. Non loin d'ici rôdent les hommes du Vieux de la Montagne. Embusqués dans les hauteurs voisines, ils n'attendent que l'occasion de se jeter sur les voyageurs pour faire des prisonniers et en tirer tribut. Ce sont des guerriers fanatiques qui agissent le plus souvent sous l'effet d'une drogue, une plante qu'ils consomment en fumant, le haschisch. Pour cette raison, on les nomme les Haschischins, ou les Assassins.

Les voyageurs ont peur, mais ils se risquent quand même sur les routes. Ils sont de pays différents et de toutes conditions : des moines qui rejoignent leurs frères d'une abbaye voisine; des artisans qui profitent d'un pèlerinage sur les Lieux Saints pour acquérir une expérience nouvelle dans leur métier; un seigneur et sa dame qui ont fait vœu de se rendre en Terre Sainte à l'occasion de leur mariage; et bien d'autres gens, chrétiens ou musulmans.

Les chevaliers hospitaliers assurent protection à tous. Rares sont les endroits qui échappent à leur surveillance. En Terre Sainte, ils détiennent trois grandes forteresses : le Krak, Margat et Belvoir. Elles sont entourées de citadelles plus petites, qu'en région arabe on appelle **bordj.** Akkar est construite au-dessus de l'abîme; à cet endroit, dit-on, même une fourmi ne se risquerait pas.

Les hasards de la route

15

A l'abri des murailles

POTIER

VANNIER

MÉDECIN

RÉCHAUD EN
TERRE CUITE

Hier, les voyageurs et les pèlerins dormaient à Akkar. Ce soir, ils ont demandé asile au seigneur du Krak qui les a installés dans la basse cour du château.

Les plus riches ont assez d'argent pour s'offrir une chambre et un lit. Les autres se contentent de dresser une tente ou même de dormir en plein air. Un homme a dû s'arrêter d'urgence, car son épouse était sur le point de mettre au monde un enfant. Un serviteur allume un feu dans un petit réchaud de terre cuite pour préparer le repas.

L'activité qui règne au Krak est loin de déplaire aux habitants des environs. Ils trouvent là des clients en grand nombre qui cherchent à acheter de la viande, des fruits, du lait ou des céréales. Les artisans s'en réjouissent tout autant : le savetier qui répare les souliers usés; le bourrelier à qui on demande de réviser un harnachement ou de recoudre une selle; le potier qui offre plats, vases,

RFÈVRE

MARÉCHAL-FERRANT

SAVETIER
BOURRELIER

BÂT DE MEHARI

écuelles et lampes de terre cuite; le forgeron qui s'empresse de remettre un fer à un cheval.

Une nouvelle génération

Débarquant à peine d'un bateau qui l'a laissé à Tripoli, le nouveau venu d'Occident est surpris par cette vie qui mêle pacifiquement chrétiens et musulmans. Mais au cours des mois et des années, il en prend l'habitude. Il comprend qu'il est impossible de se faire la guerre chaque jour et il doit se rendre à l'évidence : les musulmans sont des hommes comme les autres ! Il prendra rapidement des habitudes orientales. S'il se marie ici, ses enfants seront élevés souvent à la manière des Arabes. Peu à peu, une nouvelle génération voit le jour : celle des **poulains,** des Occidentaux nés en Orient et qui ne connaîtront jamais les pays d'Europe.

Les ordres de chevalerie

On ne se bat pas seulement en Orient. La France, l'Angleterre et les autres pays d'Occident sont le théâtre d'innombrables guerres. Pour les limiter et afin de protéger tous ceux qui ne portent pas les armes, les gens d'Église ont institué depuis le XIᵉ siècle la « paix de Dieu » et la « trêve de Dieu ». En même temps, ils tentent de donner aux combattants une morale nouvelle inspirée des principes chrétiens. Les guerriers deviennent ainsi des chevaliers. Ils reçoivent une sorte de sacrement qui se nomme l'**adoubement.**

Moines et chevaliers

Le chevalier doit respecter un code de l'honneur. Il jure de suivre toujours les préceptes de l'Église : charité, humilité, générosité, défense des faibles. Les croisades suscitent des milliers de vocations et de véritables ordres de moines-soldats prennent naissance en Terre Sainte. Le plus ancien est l'ordre de Saint-Jean-de-Jérusalem. En 1118, des chevaliers de Champagne s'installent à Jérusalem,

ARMES DE Sᵗ LOUIS

ORDRE DU TEMPLE

ORDRE DU Sᵗ SÉPULCRE

SCEAU DE RICHARD CŒUR DE LION

CHEVALIER DE L'ORDRE DE CALATRAVA

EMBLÈME DE
GODEFROID
DE BOUILLON

ORDRE TEUTONIQUE

SCEAU DE
BEAUDOIN 1er
DE JÉRUSALEM

ORDRE DE SANTIAGO
ou S.t JACQUES DE L'ÉPÉE

COMMANDEUR DE L'ORDRE
DE SAINT-JEAN DE JÉRUSALEM
(PLUS TARD "ORDRE DE MALTE")

non loin des ruines du temple de Salomon. Ils forment l'ordre des Templiers. Godefroy de Bouillon, vainqueur à Jérusalem en 1099, fonde l'ordre du Saint-Sépulcre. D'autres hommes se consacrent à soigner les lépreux : c'est l'ordre de Saint-Lazare. Les chevaliers germaniques, quant à eux, fondent l'ordre Teutonique.

En Espagne seront fondés les ordres de Calatrava (1157) et de Saint-Jacques-de-l'Épée.

Un emblème : la Croix

Les chevaliers se distinguent les uns des autres par des vêtements ou des insignes différents. Chaque ordre représente la Croix, symbole de la croisade, mais sous une forme particulière.

Les chevaliers de Saint-Jean-de-Jérusalem portent un manteau noir sur lequel est brodée une croix d'argent. A la fin du XIIIe siècle, ils seront chassés de la Terre Sainte, comme les autres Occidentaux. Ils se réfugieront alors à Rhodes, puis à Malte.

19

LE KRAK AVANT 1170

Les paysans du Krak

Au pied du Krak, il existe un village à mi-pente de la colline. Il est là depuis longtemps. A l'arrivée des chrétiens, ses habitants n'ont pas jugé bon de s'enfuir. Les paysans, hommes libres ou esclaves, sont restés attachés à leur terre. Chrétiens et musulmans ont très vite compris qu'ils avaient tout intérêt à vivre ensemble, malgré la guerre. Les prêtres souhaiteraient d'ailleurs convertir leurs nouveaux paroissiens. Ils ont fait construire pour eux une chapelle où ils ne désespèrent pas de les baptiser un jour.

Des produits inconnus

Ce matin-là, les gens du Krak sont descendus au village pour acheter des provisions. Ils aiment les fruits qui sont nouveaux pour eux : l'orange, le citron, les dattes. Ils apprécient plus particulièrement le sucre et les confiseries que l'on fabrique à partir du jus de la canne à sucre. Les Occidentaux en sont si gourmands que les agriculteurs de la Bocquée, dit-on, sont en passe de faire fortune grâce à la culture de cette plante.

Aux environs du village, les champs sont cultivés en terrasses irriguées par des petits canaux. L'amandier, l'olivier et la vigne y poussent. Mais les musulmans ne produisent pas de vin, parce que le Coran, le Livre Saint, interdit d'en consommer.

Cet après-midi, le village sera comme mort, sous la chaleur accablante du soleil. Ses habitants somnoleront à l'ombre d'une treille ou dans la fraîcheur des maisons blanches.

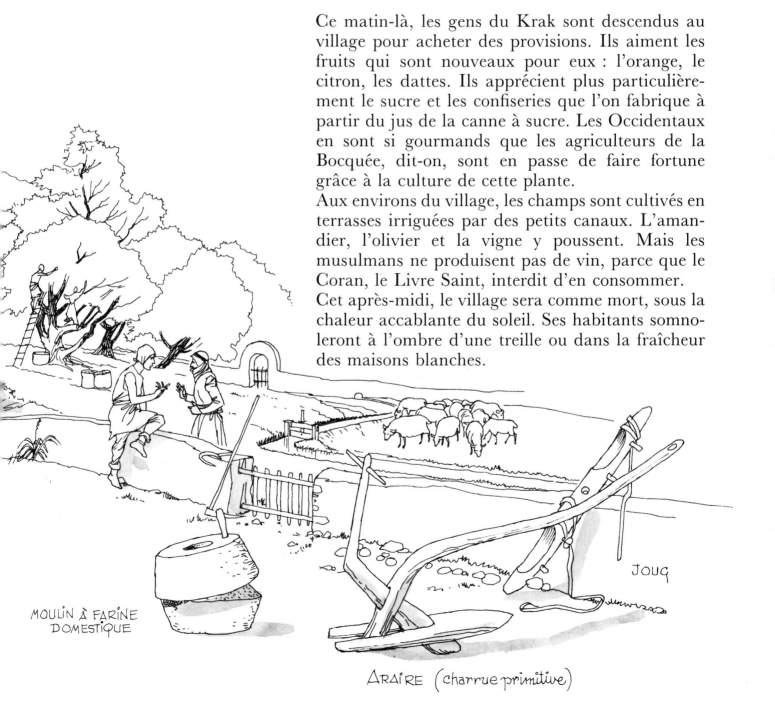

MOULIN À FARINE DOMESTIQUE

JOUG

ARAIRE (charrue primitive)

Une même loi pour tous

Un curieux cortège se presse à l'entrée du Krak. Comme tous les ans ou tous les six mois, à date régulière, les paysans viennent payer leurs redevances. Chacun doit s'en acquitter s'il veut conserver le droit d'exploiter une parcelle de terre. L'un apporte un mouton, l'autre un sac de grains, un autre encore deux volailles. Toute la journée, ce sera un défilé pratiquement ininterrompu.

Le seigneur du Krak ne fait qu'appliquer là une loi qui est de règle en Orient comme en Occident. Tous ces produits — grains, bêtes, fruits — constituent pour lui un revenu appréciable. Avec tout cela, il pourra distribuer à ses hommes et à leurs bêtes de quoi manger pendant des semaines.

De lourds problèmes d'argent

Mais ce n'est pas encore suffisant. Le Krak coûte très cher à entretenir et à fortifier. D'autres chrétiens aident le seigneur en lui cédant des revenus de toutes sortes. En 1218, quand il passe par le Krak au cours de sa croisade, le roi de Hongrie lui attribue une rente de cent marcs prélevés sur ses mines de sel de Szalacs.

Une politique délicate

Le seigneur du Krak agit envers ses voisins comme il l'aurait fait en France, en Angleterre ou en Italie. Il reçoit l'**hommage** des musulmans qui acceptent de lui obéir et il les considère comme ses **vassaux.** L'hommage est une cérémonie par laquelle un seigneur montre qu'il reconnaît l'autorité d'un plus puissant que lui. Pour prouver sa fidélité, il donne à son **suzerain** un gage d'obéissance : il lui confie, comme en otage, l'un de ses fils ou il lui propose, peut-être, une de ses parentes en mariage. En Occident, le vassal place ses mains jointes dans celles de son seigneur. Il indique ainsi qu'il est devenu son homme : c'est l'hommage. En Orient, ce geste symbolique s'accompagne de cadeaux, de prosternations et de phrases d'une politesse infinie. En échange de son serment, le seigneur du Krak confirme le musulman dans ses domaines et il lui laisse toute liberté pourvu qu'il ne reprenne pas la guerre. Pour assurer la paix dans le pays, les Hospitaliers se montrent tolérants et cela leur est souvent reproché.

Un terrible adversaire

Que se passe-t-il ?
Les habitants du Krak ne comprennent rien à ce qui leur arrive. Le sol se dérobe sous leurs pas. Les murs se lézardent. La cloche de la chapelle s'est mise à sonner toute seule. Et les pierres mal assujetties s'effondrent. La terre tremble.

Outre leurs adversaires musulmans, les chrétiens découvrent en Orient de nouveaux ennemis : la chaleur, la soif, les serpents, les tremblements de terre. Le premier s'est produit en 1154. En 1170, la terre tremble... pendant vingt-cinq jours !

Plusieurs forteresses sont fortement endommagées par le cataclysme, mais c'est au Krak que les destructions sont les plus graves. Les tours principales sont profondément ébranlées. Des pans de murs entiers se sont écroulés, faisant des dizaines de morts et de blessés. Les guerriers musulmans se réjouissent de cette aubaine. Ils voient là le signe qu'Allah, Dieu, est avec eux.

Il faut tout reconstruire

Le château ne pourra plus résister à une attaque importante. Alors, les chevaliers décident de

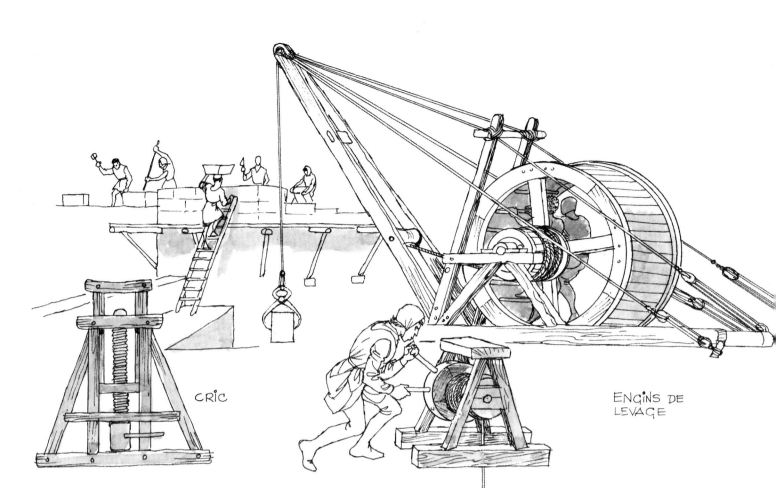

CRIC

ENGINS DE LEVAGE

reprendre l'ensemble du bâtiment. Ils font venir des ouvriers, maçons et charpentiers, spécialisés dans ce travail. Ils confient le chantier à un architecte expérimenté, que l'on nomme au Moyen Age **maître de l'œuvre,** et qui fait partie de l'ordre de Saint-Jean-de-Jérusalem.

Dès que les décombres sont dégagés, les blessés soignés et les morts enterrés, les travaux commencent. Le nouveau Krak abritera ses deux hectares et demi derrière une double enceinte. Au centre, les trois tours du donjon seront renforcées par une muraille circulaire comprenant quatre étages. Quatorze tours rondes ou rectangulaires formeront la seconde ligne de murailles.

Pour hisser au sommet des murs des blocs de pierre qui peuvent atteindre plusieurs centaines de kilos, on emploie des grues. Les plus petites sont mises en mouvement à la force des bras, les plus grosses utilisent une **cage à écureuil.**

Le travail de la pierre est une découverte pour la plupart des Occidentaux. En Orient, ils retrouvent de nombreux procédés qui avaient été mis au point dans l'Antiquité par les architectes grecs.

Une carapace en pierre

Le maître de l'œuvre doit penser à tout. Ses murs sont très solides mais, en cas de siège, il ne peut pas empêcher que des hommes s'insinuent jusqu'à leur base. Ils peuvent desceller quelques pierres, pratiquer une cavité qu'ils agrandiront jusqu'à ce que la muraille se lézarde et s'écroule.

Il faut éviter cela à tout prix ! Pour empêcher le travail de sape, le maître de l'œuvre double la première enceinte du Krak d'un gigantesque talus. Il s'élève à plus de dix mètres au-dessus du sol.

Pour apporter les matériaux, des dizaines de personnes sont employées. Elles transportent la terre dans des corbeilles qu'elles déversent les unes après les autres. Les blocs de pierre apportés par chariot sont taillés sur place. Les ouvriers que l'on nomme tâcherons sont rétribués au nombre de pierres qu'ils préparent. On a retrouvé les nombreuses marques qu'ils ont laissées pour comptabiliser leur travail.

Les outils qu'ils utilisent varient selon la qualité de la pierre ou le travail qu'ils cherchent à exécuter. Ils dégrossissent les blocs à l'aide d'un **têtu** et ils les affinent à l'aide de **pics** et de **poinçons.**

Sous le talus, un tunnel de surveillance est ménagé. Il permettra de mieux se défendre encore.

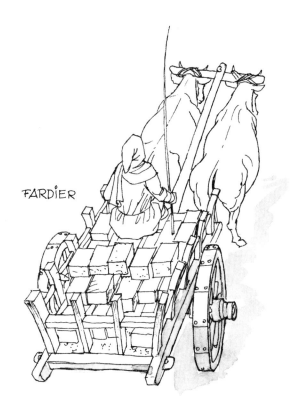

FARDIER

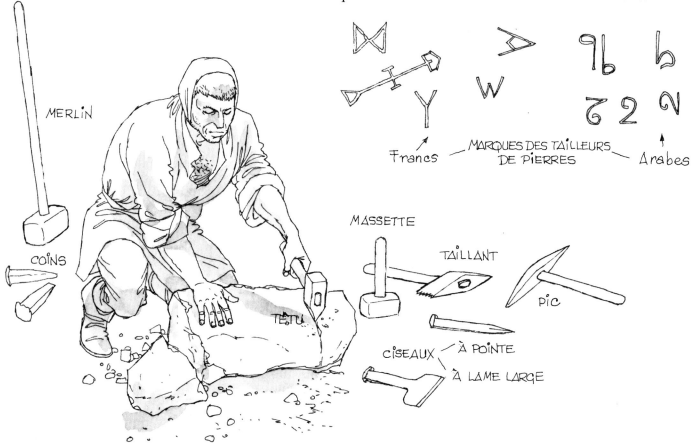

MERLIN

COINS

MASSETTE

TAILLANT

PIC

TÊTU

CISEAUX

À POINTE

À LAME LARGE

Francs — MARQUES DES TAILLEURS DE PIERRES — Arabes

A l'attaque

Au sommet des murs, les travaux se poursuivent. Le Krak est encore en plein chantier et déjà il est attaqué. Surprise, la garnison cherche à repousser les assaillants tout en protégeant les ouvriers. Des hommes tombent, mortellement blessés. Au loin, dans la plaine, les cultures sont ravagées par l'incendie.

Un duel perpétuel

Les musulmans savent bien que les chrétiens possèdent là une place de tout premier ordre qui menace leur propre possessions. Ils n'auront de cesse qu'ils n'en aient chassé les chevaliers. Les chroniques du temps disent : le Krak est comme un os placé en travers du gosier des musulmans !

En 1163, le **sultan** Nur ed Din s'en approche mais il échoue. Il campe sous les murs du château, mais une nuit les chevaliers tentent une sortie. Ils s'emparent du campement et Nur ed Din échappe de justesse. Surpris en plein sommeil, nu, il s'enfuit à cheval. Vingt ans plus tard, c'est le fameux Saladin, puis son frère, qui assiègent le Krak. Rien n'y fait. Les chevaliers de Saint-Jean-de-Jérusalem restent accrochés à leur puissante forteresse.

Toujours mieux défendu

Un mur est construit en trois parties. Deux revêtements de pierre sont montés simultanément. Le vide compris entre ces deux **parements** est rempli, au fur et à mesure, de mortier, de cailloutis, de morceaux de bois et de débris divers mêlés les uns aux autres qui, à la longue, forment un ensemble compact.

Au sommet, les soldats peuvent circuler sur un chemin de ronde défendu par des créneaux. Les **hourds** complètent la protection. Ce sont des constructions de bois qui viennent chapeauter les murs et les tours, abritant les hommes du soleil, de la pluie et des projectiles. Au Krak, on construit les premiers **mâchicoulis** qui permettent de surplomber les assaillants.

**Comment
survivre
sans eau ?**

LE GRAND BERQUIL

Toutes les forteresses ont un point faible : l'eau. En Occident, les pluies et les sources sont assez fréquentes. Mais dans les pays méditerranéens, en plein été, l'eau se fait rare. Dans la région du Krak, pendant près de cinq mois, il ne pleut presque pas. Pour trouver l'eau, on a creusé un puits dans la roche : il descend à 27 mètres sous terre. Il n'est jamais à sec mais ce n'est pas suffisant. Neuf citernes souterraines ont été aménagées. Elles reçoivent l'eau de pluie qui s'écoule des toits ou des plates-formes. Des canalisations en terre cuite forment un véritable réseau caché.

Le grand berquil

Les hommes ne sont pas les seuls à boire; les chevaux et les autres animaux ont aussi besoin d'eau. Il en faut des quantités importantes. Le maître de l'œuvre a prévu, à l'ouest du donjon, un grand réservoir à ciel ouvert. *Birket* désigne en arabe ce genre de construction. Les Occidentaux disent **berquil.** C'est un bassin de 72 mètres de long sur 10 mètres de large. Les palefreniers viennent y abreuver leurs bêtes. Quand il fait chaud, les hommes aiment y prendre un bain.

Le berquil est alimenté par les pluies d'orage qui ruissellent le long des murs. Un aqueduc y conduit aussi l'eau d'une rivière voisine. En Orient, les croisés ont appris à bien connaître, auprès des ingénieurs byzantins ou arabes, les techniques concernant les citernes, les puits, les canalisations ou l'irrigation.

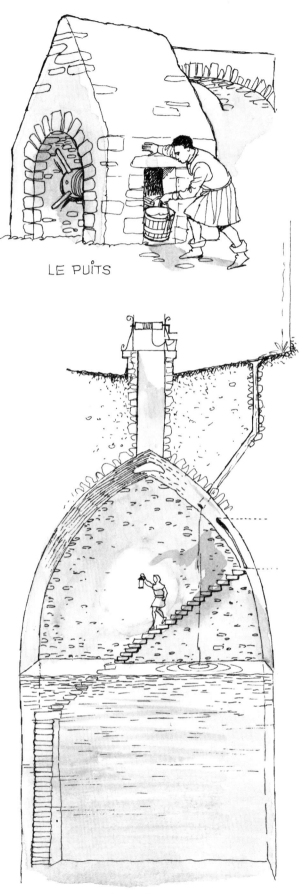

LE PUITS

UNE CITERNE

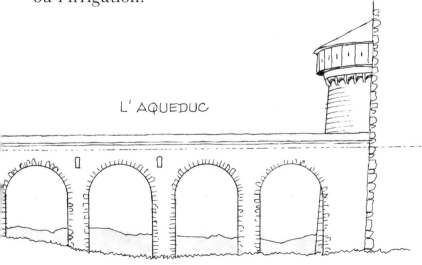

L'AQUEDUC

Des vivres pour deux ans

Midi : le soleil est au plus haut dans le ciel. Il pèse lourdement sur le Krak des Chevaliers. Les hommes, éblouis de lumière, recherchent l'ombre. Seuls, les gardes doivent rester à leur poste, sur le chemin de ronde. Une odeur de pain qui cuit vient exciter leurs narines car, sous leurs pieds mêmes, à l'ombre des épaisses murailles, se trouvent les réserves de vivres et le four à pain.

Deux mille hommes à nourrir

Cent vingt mètres : telle est la longueur de cette gigantesque salle voûtée où l'on entasse de quoi se nourrir pendant des mois et des mois. A certains moments, il y aura près de deux mille hommes dans le Krak : il faut les nourrir, même en cas de siège. Grâce aux provisions, on pourrait tenir pendant deux ans ! Des quartiers de viande accrochés sous les voûtes. Des fagots entassés pour les feux de la cuisine. De la farine, du grain, des légumes secs par centaines de sacs. De l'huile, du vin par dizaines de tonneaux ou de jarres.

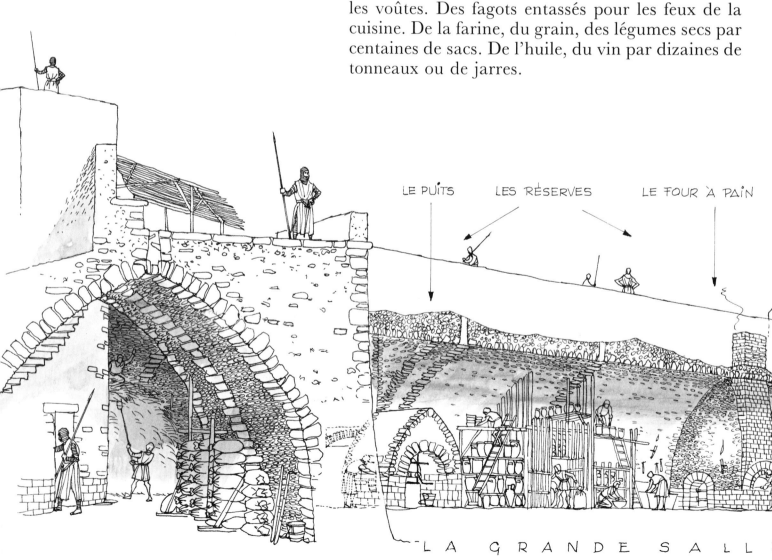

LE PUITS   LES RÉSERVES   LE FOUR À PAIN

LA GRANDE SALL

Au rythme du soleil

Des bouchers sont occupés à découper une bête.
Des boulangers s'activent devant le four.
La plupart des hommes ont déjà pris leur repas.
D'autres attendent la relève pour se rendre au
réfectoire qui se trouve non loin d'ici. Avant d'y
entrer, ils se laveront les mains au lavoir. Pour cela,
ils attendent que la cloche du château sonne **None,**
la neuvième heure.

Pour les gens du Krak, la journée commence avec le
lever du soleil et se termine à son coucher. Comme
partout ailleurs en ce temps-là, on compte les
heures selon le soleil : il y a douze heures de nuit et
douze heures de jour en toute saison. Les heures de
jour sont donc plus longues en été et plus courtes en
hiver; ce ne sont pas des heures fixes de soixante
minutes comme à notre époque.

Cette manière de vivre permet de profiter au
maximum de la lumière naturelle, car les lampes ou
les chandelles n'éclairent pas très bien. En outre,
elles sont rares et coûtent cher.

DE 120 MÈTRES

Tout faire par soi-même

A table, la viande est chose rare. Surtout la viande fraîche. On ne mange pas de boeuf : cet animal est cher à entretenir — il lui faut d'énormes quantités de fourrage — et il sert essentiellement de force motrice. Le porc est presque inconnu en Orient puisque sa chair est déclarée impure par le Coran. On se tourne alors vers la viande de mouton ou de chèvre. Le **boucher** était, à l'origine, un simple vendeur de bouc.

Les morceaux de viande taillés et préparés seront d'abord disposés dans des jarres ou dans de grandes auges de pierre : ce sont les **saloirs.** Après un mois environ, ils sont placés dans le **fumoir.** Là, ils restent dans la fumée d'un feu de bois vert ou de sciure pendant deux à trois semaines. Alors seulement, on peut espérer garder la viande longtemps.

On apprend également à conserver de la glace, en creusant sous la forteresse des trous très profonds. En hiver, on y entasse des morceaux de glace que des hommes vont chercher sur les montagnes proches. Ils se conserveront ainsi, à l'abri de la chaleur, jusqu'à l'été.

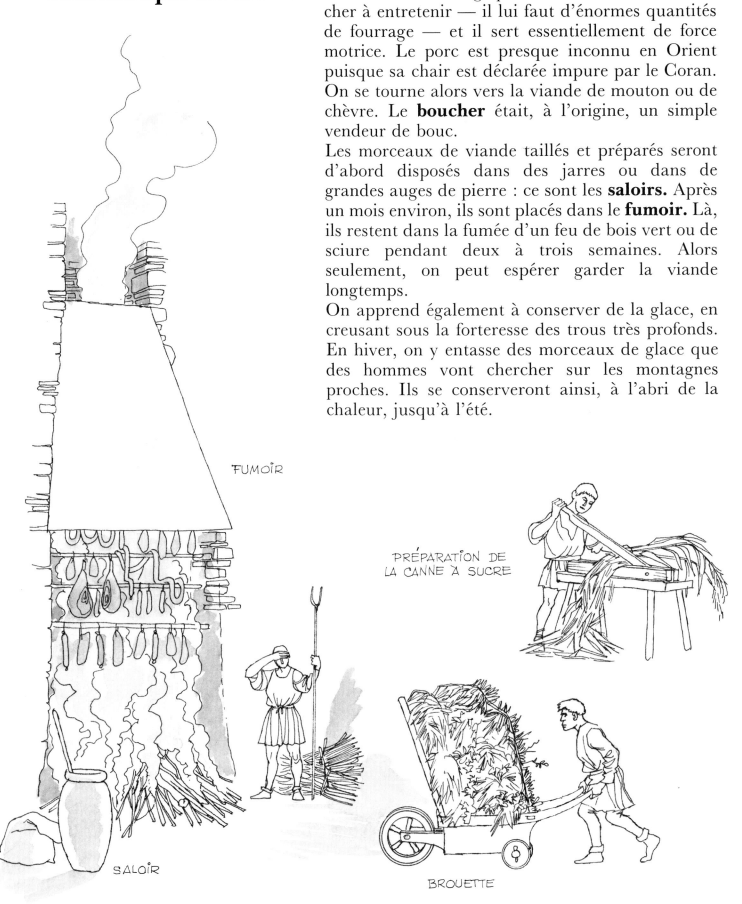

FUMOIR

PRÉPARATION DE LA CANNE À SUCRE

SALOIR

BROUETTE

Un four monumental

L'essentiel du repas se compose de céréales : le plus
souvent, on mange du pain. Et au Krak, tout est
prévu pour que la vie continue en cas de siège.
Le sommet de l'une des tours est aménagé en
terrasse. L'espace y est suffisant pour battre les épis
et vanner les grains. Un moulin s'y dresse : on
l'oriente selon la direction du vent. A l'étage
inférieur, dans la salle de cent-vingt-mètres, le four
à pain est en action. Il est imposant : cinq mètres
de large, plus de dix mètres de haut.
Pour préparer les pains, il faut d'abord mêler l'eau
et la farine, puis pétrir la pâte et la laisser reposer
un moment. Alors, les boulangers enfourneront : le
four du Krak est si vaste qu'on pourrait y faire
cuire, en même temps, plus de cinquante grosses
miches de pain. Quand on l'a mis en marche pour
la première fois, il a fallu le faire chauffer pendant
un mois, tout doucement, pour ne pas endommager
les briques avec lesquelles il est construit. Et depuis
ce jour, on ne l'a jamais laissé refroidir; le feu y
brûle en permanence.

VANNAGE

BATTAGE DU GRAIN

LE FOUR À PAIN
(DANS LA SALLE
DE 120 M.)

Le convoi d'or

Un navire vient de quitter Aigues-Mortes, sur la côte provençale. Selon les vents, le temps ou l'état de la mer, il mettra trois semaines ou trois mois pour rejoindre la Terre Sainte.

A bord, dans la chambre du patron, un gros coffre de bois recèle des centaines de pièces de monnaie. C'est l'argent qui permettra d'entretenir la garnison du Krak pendant une année. Le navire est lourd et robuste. Ses formes rondes lui permettent de résister aux vagues les plus violentes et de contenir de grandes quantités de marchandises. On en construit des centaines du même type sur les chantiers de Gênes, d'Amalfi, de Venise, de Barcelone ou de Marseille. Les marchands italiens, catalans ou provençaux, qui assurent le transport vers la Terre Sainte, vont quelquefois jusqu'à y entasser plus de mille personnes !

NAVIRE MARCHAND

Le bateau accoste devant Tripoli. Les pièces de monnaie sont réparties dans plusieurs sacs de cuir et chargées à dos de mulets. Le convoi est escorté par une vingtaine de chevaliers et leurs servants d'armes. Un guide les conduit sur la route du Krak. Jusqu'aux premières croisades, les Occidentaux n'employaient jamais de pièces d'or. Leur monnaie habituelle était en argent : le **denier.** Mais seuls les grands seigneurs utilisent cette pièce qui vaut très cher. La plupart des gens n'emploient que des piécettes de cuivre ou de billon (un alliage) : l'**obole,** la **pougeoise,** la **pite.** En arrivant en Orient, les croisés découvrent les monnaies d'or que les Byzantins et les Arabes utilisent comme moyen de paiement normal. C'est pourquoi les croisés comptent maintenant en **besants** (la monnaie de l'empereur de Constantinople) ou en **dinars** (la monnaie du **calife;** dinar signifie en arabe denier). Les croisés prennent même l'habitude de frapper eux-mêmes des monnaies copiées sur le modèle arabe ou byzantin. Ils reproduisent bien souvent, sans les comprendre, les inscriptions gravées sur les dinars : ce sont pourtant des phrases tirées du Coran !

L'organisation des chevaliers de Saint-Jean-de-Jérusalem et de ceux du Temple devient tellement puissante que les voyageurs prennent l'habitude de leur confier leur fortune. Ils jouent ainsi le rôle d'un organisme qui n'existe pas encore, la banque.

ASSOMMOIR

PORTE

ASSOMMOIRS

VUE "TRANSPARENTE" DE LA RAMPE D'ACCÈS

ENTRÉE

Une entrée bien gardée

La caravane, bêtes et hommes, est arrivée au pied du château. On n'entend que le souffle du vent qui s'engouffre dans la plaine de la Bocquée. Le soleil va bientôt se coucher et la petite troupe attend dans l'ombre grandissante de la muraille du Krak.
La porte est close. Un garde se tient là et lance une courte phrase vers l'intérieur : c'est un mot de passe. On entend alors le bruit d'une serrure et la lourde porte de bois s'ouvre lentement.

Un couloir inquiétant

Des hommes font signe d'entrer. L'escorte s'éloigne. Alors, un à un, les muletiers poussent leurs bêtes vers l'intérieur du château. Mais l'entrée du Krak est protégée par un long chemin à demi souterrain et les voyageurs se retrouvent soudain dans le noir, entre deux murs. Le temps que leurs yeux s'accoutument à la pénombre, ils se dirigent vers la seule issue possible, un point lumineux, là-haut, au bout du couloir.
Ils gravissent alors une sorte d'escalier en pente douce, aux marches allongées, qui permet aux animaux de monter à l'étage supérieur.

ARRIVÉE DANS LA COUR INTÉRIEURE

La caravane avance, apparemment seule. Mais les muletiers ne savent pas que derrière les murs, dans de minuscules chambres de garde, des hommes armés les regardent au travers de meurtrières dissimulées. Au moindre geste suspect, ils seraient immédiatement arrêtés.

De marche en marche, les convoyeurs arrivent à une sorte de palier à ciel ouvert. Au-dessus de leur tête, d'autres soldats les surveillent. Et derrière les murs, une salle de garde permet d'observer tout ce qui se passe dans la rampe d'accès.

Au cœur de la forteresse

La rampe fait un coude brutal. Encore une porte : elle s'ouvre lentement. Il faut continuer. Le couloir est éclairé par des ouvertures pratiquées dans la voûte : ce sont des **assommoirs,** par lesquels les défenseurs peuvent jeter des pierres sur les visiteurs importuns. Les caravaniers passent; le vantail se referme derrière eux. Un autre s'ouvre et le chemin longe une nouvelle salle d'armes; une herse enfin, une porte encore.

Sous l'œil de gardes armés, cette issue s'entrouvre et un flot de soleil envahit la rampe d'entrée : les voici arrivés.

Le Krak évoque deux châteaux indépendants, emboîtés l'un dans l'autre. La rampe que les caravaniers viennent de franchir est la seule voie pour pénétrer dans la seconde enceinte.

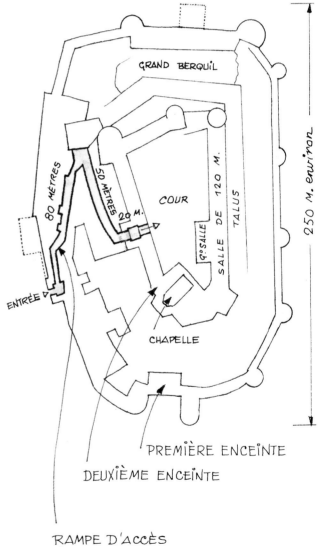

GRAND BERQUIL

80 MÈTRES

50 MÈTRES

20 M.

COUR

SALLE DE 120 M.

Gde SALLE

TALUS

250 M. environ

ENTRÉE ▷

CHAPELLE

PREMIÈRE ENCEINTE

DEUXIÈME ENCEINTE

RAMPE D'ACCÈS (ENTIÈREMENT SOUTERRAINE)

Dans la grand-salle des chevaliers

Dès l'arrivée, des hommes s'emparent des mulets et de leur précieux chargement. L'or et l'argent se trouvent maintenant en sécurité.

La haute cour du château ressemble à une ville en réduction. Elle ne mesure que quelques dizaines de mètres, mais on y trouve : à droite, le logis du maître et des chevaliers; un peu plus loin, une voûte qui conduit à la chapelle et, tout au fond, un escalier qui permet d'accéder au chemin de ronde. A gauche, une vaste salle dont le toit en forme de terrasse est soutenu par de gros piliers de pierre. Face à la porte d'entrée, une série d'arcades sculptées abrite l'accès à la salle de réunion des chevaliers.

Le voyageur comprend facilement que le sort entier du château se décide à cet endroit. Mais il ne peut pas y accéder immédiatement et il doit attendre qu'on le fasse entrer.

GALERIE

Il fait les cent pas sous la galerie où d'autres visiteurs patientent. Des sculptures ornent la pierre et des peintures la rehaussent de leurs couleurs variées. Pour distraire son impatience, il peut méditer cette phrase gravée sur un pilier. Elle est inscrite en latin, et se traduit ainsi : « Aie la richesse, aie la sagesse, aie la beauté, mais garde-toi de l'orgueil qui souille tout ce qu'il approche. » Cette maxime résume sans aucun doute la sagesse de ceux à qui l'on a confié ce château.

Le chapitre des chevaliers

Les chevaliers de l'Ordre débattent d'une question importante. Depuis la galerie, on entend vaguement ce qu'ils se disent, mais il est impossible de suivre leur conversation. Au Krak, avant de prendre une décision importante, le seigneur réunit ses chevaliers. Comme pour les moines, leur assemblée se nomme un **chapitre.** L'intérieur de la grand-salle, au style dépouillé, rappelle d'ailleurs l'architecture des bâtiments de l'ordre de Cîteaux.

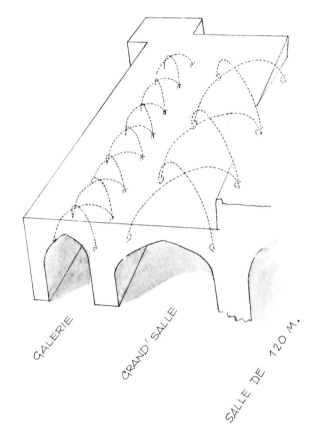

GALERIE

GRAND' SALLE

SALLE DE 120 M.

GRAND' SALLE

Le logis du seigneur

Ils se nomment Guillaume, Pierre, Arnaud, Hugues ou Nicolas. Ils viennent de Provence, de Savoie ou d'Auvergne et sont, pour un temps, seigneurs du Krak.

Pendant les quelque cent trente années où les Hospitaliers détiennent la forteresse, plusieurs seigneurs se succèdent. Nous ne connaissons pas tous leurs noms, mais certains nous sont parvenus car ils ont laissé des traces. Sur leur initiative, le Krak a été transformé, agrandi, amélioré.

Par deux fois, le seigneur du Krak est aussi le grand maître de l'ordre de Saint-Jean-de-Jérusalem.

Le logis du maître

Le nouveau maître du château souhaite une habitation plus belle et plus confortable. Non loin de la chapelle, il fait aménager cette salle. Il fera percer la muraille pour avoir de la lumière et jeter un œil, à l'occasion, sur les environs : le chemin d'accès, le village, les montagnes et jusqu'au château le plus proche. Par beau temps, il distinguera même la route qui serpente dans la plaine de la Bocquée.

Le seigneur du château n'aime pas le grand luxe. Il n'y aura pas dans son logis de lourdes tentures ou du mobilier coûteux. Il vit comme l'abbé d'un monastère et il n'oublie pas que sa mission, ici, est tout autant religieuse que militaire. Revêtu du grand manteau de l'Ordre, il se donne un moment de liberté dans les lourdes charges qui l'occupent pour venir inspecter les travaux en cours.

Dans le goût byzantin

Des poteaux de bois, fixés ensemble par des cordes, occupent encore la future habitation. Là-haut, sur ces échafaudages, des ouvriers sont au travail.

Ils dessinent une fresque destinée à orner le mur. Cela demande une longue préparation. Il faut tout d'abord enduire le mur brut de plusieurs couches d'un mortier extrêmement fin. La cinquième couche d'enduit, mêlée à une matière grasse, a un aspect vernissé.

Alors, le peintre se met au travail. Il applique les procédés que lui ont enseignés ses maîtres, en

PEINTURE PROVENANT

D'UN MUR DE LA CHAPELLE

Grèce. Il dessine d'abord des silhouettes avec des couleurs mates, fabriquées à partir de colle. Ensuite, il revient sur son œuvre et renforce peu à peu les traits à l'aide de peintures à la cire. Les couleurs vives confèrent à sa réalisation un aspect riche et brillant. Sa palette est variée : ocre, rouge, vert, bleu, noir et blanc. Une fois terminée, cette peinture donnera aux murs le même aspect que les enluminures des manuscrits.

Mais avec le temps, ce magnifique travail disparaîtra, et on n'en retrouvera qu'un fragment, à l'extérieur de la chapelle du château.

Les guerriers en prière

L'instant de la messe est solennel, émouvant. Les chevaliers de l'Ordre vont partir au combat.

Ils ont déjà à demi revêtu leur costume de guerre. Avant de s'élancer, ils viennent dans la chapelle du Krak assister à un dernier office religieux.

Les Hospitaliers de Saint-Jean-de-Jérusalem sont moines et chevaliers. Ils suivent l'entraînement normal des combattants, mais leur règle de vie est aussi comparable à celle d'un monastère.

Leur chapelle n'est pas un monument merveilleux, tel qu'on peut en voir dans les villes ou les campagnes d'Europe. Elle est bâtie dans la muraille. Son toit sert de plate-forme de guet. Des ouvriers entretiennent ses murs régulièrement et, si besoin était, elle pourrait servir de point de résistance au cas où des ennemis pénétreraient dans l'enceinte du château fort.

Dans cette chapelle, on ne voit aucune sculpture, aucun décor, aucune fresque aux couleurs vives comme on les aime tant à cette époque.

Saint Bernard l'a dit : les églises des moines-chevaliers doivent garder un aspect fruste et austère. Sur les murs blancs, sont suspendus les souvenirs d'anciens chevaliers : des armes, des casques, des bannières et des écus.

Préparatifs de guerre

TACTIQUE DE LA CAVALERIE FRANQUE
ET DE L'INFANTERIE
À L'ASSAUT EN RASE CAMPAGNE

1 - préparation au combat

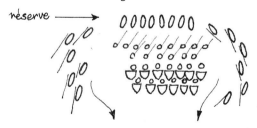

2 - charge de la cavalerie

3 - ralliement de la cavalerie derrière le "hérisson" de l'infanterie

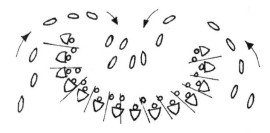

Aux environs du Krak, les adversaires restent nombreux. Les croisés doivent organiser plusieurs expéditions et le château sert de base de départ.

En 1229, les chevaliers remportent une victoire qui leur permet de mettre la main sur un butin considérable. Cependant, dès l'année suivante, l'émir de Hama, ville voisine, refuse d'obéir. A nouveau, les chevaliers sont mis à contribution. Au Krak, c'est le branle-bas de combat.

Un fidèle allié

Depuis plusieurs jours, les palefreniers savent qu'une expédition va avoir lieu. Ils ont reçu l'ordre de préparer les chevaux et de doubler leurs rations de nourriture. En toute occasion, le Krak doit renfermer de grandes quantités de céréales pour nourrir les centaines de bêtes qui vivent à l'abri de ses murs.

Le cheval est un animal coûteux et précieux. Il faut lui donner à boire trois ou quatre fois par jour; il faut veiller à ce qu'il n'attrape pas de maladie, il est particulièrement sensible au rhume.

En Orient, les croisés ont découvert de nouvelles races de chevaux, plus élégants, plus fins et plus rapides que ceux qu'ils employaient en Occident. Mais ils ne savent pas toujours les domestiquer. Beaucoup de chevaliers choisissent de faire venir leur **destrier** — le cheval de combat — par bateau.

Un équipement lourd et encombrant

Malgré la chaleur qu'il redoute, le chevalier revêt une armure qui doit le protéger efficacement. Il enfile son **haubert,** sorte de vêtement en mailles de métal qui pèse une dizaine de kilos. Dessous, il porte un **gamboison,** un vêtement matelassé qui enveloppe son corps. Enfin, il revêt la **cotte** de tissu où sont brodées ses armoiries. Il boucle la ceinture et le baudrier qui soutiennent son épée. Il enferme alors sa tête dans un casque de cuir puis dans le **heaume** en métal.

Il est alors prêt au combat.

La charge des cavaliers

Templiers et Hospitaliers se rassemblent en une troupe puissante sur les rives de l'Oronte. Ils marchent vers Hama. Soudain, au détour d'un méandre, les troupes de l'émir surgissent.

Les chevaliers ont déjà couvert plusieurs dizaines de kilomètres sous l'ardent soleil qui brûle les montagnes de Syrie. A peine ont-ils eu le temps de se reposer et de faire boire leurs bêtes. L'adversaire est en position de combat. En selle !

L'affrontement

Les chevaliers enfourchent leurs destriers, vérifient une dernière fois leur équipement et se saisissent de leurs lances. Ils se rangent les uns aux côtés des autres, en une ligne régulière. Les **nacaires** (timbales de cavalerie) résonnent. Sous leur rythme, les chevaux piaffent d'impatience et leurs cavaliers ont bien du mal à les faire rester en place. A l'arrière, un bataillon de troupes à pied s'apprête à appuyer l'attaque des chevaliers.

D'un seul élan, ceux-ci se ruent vers l'ennemi. Ils abaissent la pointe de leurs lances et galopent à toute vitesse. Dans quelques instants, ils seront morts ou vainqueurs. Le sort de la bataille se décide dans le seul choc des deux armées.

La grande armée des hospitaliers

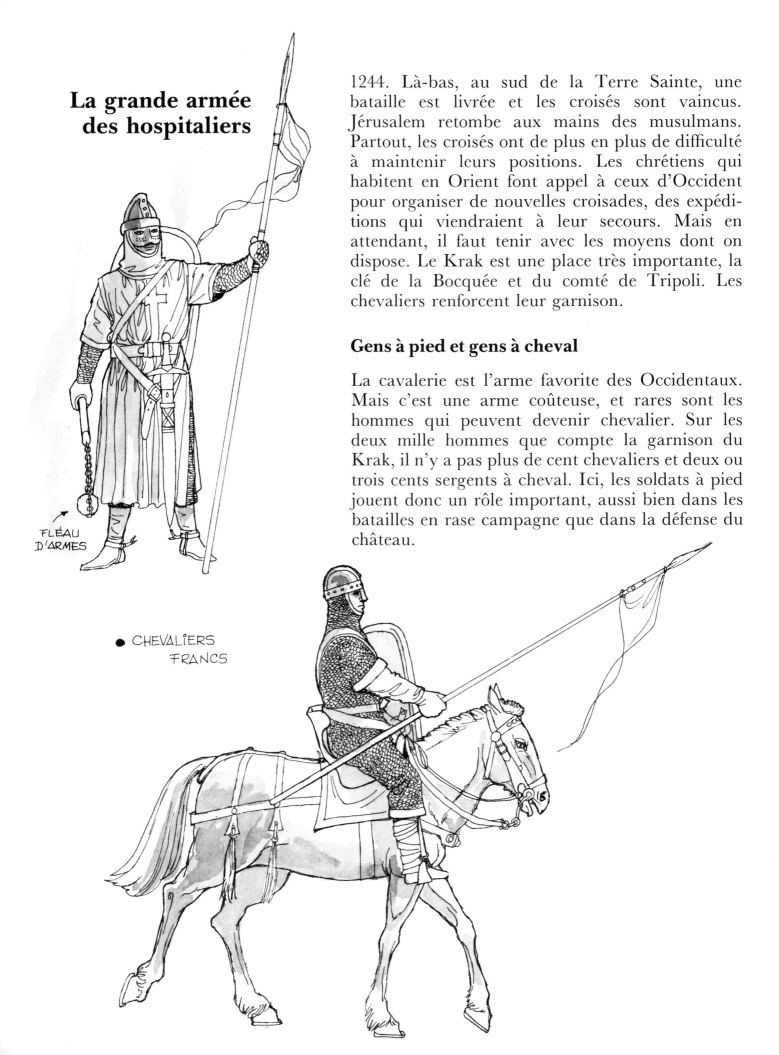

FLÉAU D'ARMES

● CHEVALIERS FRANCS

1244. Là-bas, au sud de la Terre Sainte, une bataille est livrée et les croisés sont vaincus. Jérusalem retombe aux mains des musulmans. Partout, les croisés ont de plus en plus de difficulté à maintenir leurs positions. Les chrétiens qui habitent en Orient font appel à ceux d'Occident pour organiser de nouvelles croisades, des expéditions qui viendraient à leur secours. Mais en attendant, il faut tenir avec les moyens dont on dispose. Le Krak est une place très importante, la clé de la Bocquée et du comté de Tripoli. Les chevaliers renforcent leur garnison.

Gens à pied et gens à cheval

La cavalerie est l'arme favorite des Occidentaux. Mais c'est une arme coûteuse, et rares sont les hommes qui peuvent devenir chevalier. Sur les deux mille hommes que compte la garnison du Krak, il n'y a pas plus de cent chevaliers et deux ou trois cents sergents à cheval. Ici, les soldats à pied jouent donc un rôle important, aussi bien dans les batailles en rase campagne que dans la défense du château.

Ces fantassins, ou **piétons,** sont protégés de cottes épaisses, faites de feutre ou de mailles de fer. Elles sont si efficaces qu'on dit avoir vu une fois un soldat qui avait dix flèches plantées dans le dos et qui n'était pourtant pas blessé.

Vitesse ou puissance de tir

Les soldats qui savent manipuler arcs et arbalètes sont des alliés précieux pour les cavaliers. Ils peuvent aider, à distance, à mettre l'adversaire en déroute. Les Francs préfèrent les arbalètes. Cette arme, qui lance des **traits** (ou **carreaux**), est plus puissante que l'arc. Un soldat qui sait bien s'en servir est capable, à plus de cent mètres, de perforer une armure légère. En revanche, c'est un engin long à manipuler et les arbalétriers sont souvent vaincus par les archers adverses : ceux-ci peuvent, en effet, décocher jusqu'à douze flèches dans le temps où l'on tire un seul trait d'arbalète.

Des auxiliaires recrutés sur place

Les effectifs ne sont pas suffisants. Même si les volontaires viennent en bon nombre des pays occidentaux, il n'y a pas assez de guerriers pour résister à la foule de plus en plus considérable des combattants musulmans. Aussi le seigneur du Krak, comme beaucoup d'autres, est-il décidé à engager des soldats indigènes. Ce sont les **Turcoples.** Ils sont armés légèrement, et ce sont d'habiles cavaliers. De plus, ils connaissent parfaitement le pays. A leur tête, un chevalier franc qui porte le nom de « turcoplier ». Mais malheur à eux s'ils tombent entre les mains de leurs adversaires. Les autres musulmans les considèrent, en effet, comme des traîtres et ont promis de tous les massacrer. Les Francs enrôlent aussi quelquefois des mercenaires grecs ou arméniens.

Mais cela suffira-t-il ?

● PIÉTONS

ARBALÈTE À CROCHET

ARBALÈTE À PIED-DE-BICHE

● CHEVALIER coiffé du "montier" pour le pont du heaume

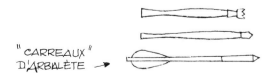

" CARREAUX " D'ARBALÈTE →

51

La brèche

Les croisés ne cessent de perdre du terrain. Pour leur venir en aide et sauver les États chrétiens d'Orient, saint Louis lance une nouvelle expédition. Mais il échoue. Et en 1270, le roi de France meurt très loin de là, sous les murs de Tunis.

A cette nouvelle, le sultan Baïbars sait que la victoire approche. Mais avant toute chose, il lui faut s'emparer du Krak des Chevaliers.

Ceux-ci ne sont plus assez nombreux pour contrôler la région. Ils assistent impuissants aux ravages que font les troupes du sultan dans la Bocquée. Chastel Blanc tombe entre leurs mains. Bientôt, d'autres fortins qui protègent les abords du Krak. Mille sept cents hommes, femmes et enfants sont capturés et envoyés en esclavage. Les chevaliers du Krak tentent une sortie, mais ils sont repoussés. Le grand maître de l'Ordre envoie en Occident des lettres pour réclamer de l'aide, en vain.

Seule, la forteresse tient bon. Mais le 3 mars 1271, le sultan installe son campement à ses pieds. Dès le lendemain, ses troupes montent à l'attaque. Des sapeurs approchent de la première enceinte et travaillent toute une nuit pour desceller les pierres. Une portion de la muraille s'écroule, une brèche est pratiquée par laquelle les attaquants peuvent pénétrer. Deux jours plus tard, ils occupent une **barbacane** qui contrôle l'une des issues du château. Les combats se déroulent au corps à corps dans les fossés, au pied de la seconde enceinte.

Soudain, des orages éclatent. La pluie tombe à torrents, sur toute la région. Le sol est détrempé et les assaillants s'enlisent dans la boue.

De redoutables machines

Pendant quelques jours, les combattants s'observent. C'est un répit pour les défenseurs. Ils pensent déjà que leurs adversaires vont se lasser, et abandonner le terrain, quand ils voient arriver de lourds chariots chargés de longues pièces de bois. Ils comprennent : le sultan a donné l'ordre d'employer les catapultes !

Les engins de siège

Les musulmans comme les Francs savent depuis longtemps employer ces machines : **catapulte, mangonneau** ou **trébuchet.** Elles sont construites en bois. Longue d'une dizaine de mètres, la poutre principale (la flèche) est faite d'un bois souple : en Orient, il s'agit du palmier.

La catapulte fonctionne comme une gigantesque fronde. Le contrepoids est formé d'une **huche** (une sorte de grand panier) remplie de terre et de pierres. Pour la mettre en mouvement, quatre à six hommes doivent, à l'aide d'une corde et d'un système de poulie, amener la fronde à terre. L'engin est soudain relâché. Dans la violence du mouvement, il est capable de projeter à deux cents mètres des projectiles de quarante à cent kilos. De quoi fissurer un mur ou, au moins, faire des ravages dans les rangs des assiégés.

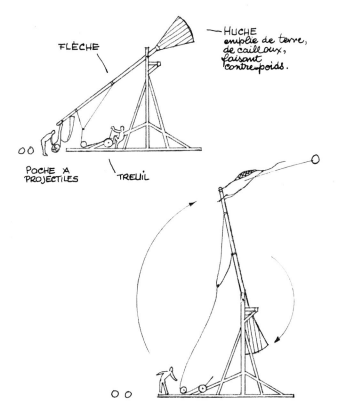

FLÉCHE

— HUCHE emplie de terre, de cailloux, faisant contrepoids.

POCHE À PROJECTILES

TREUIL

MONTAGE D'UNE CATAPULTE

Le dernier combat

Le 15 mars, les mangonneaux sont entrés en action. Ils permettent aux troupes du sultan de pénétrer un peu plus encore dans la première enceinte. Quinze jours plus tard, ils occupent la dernière porte et investissent la haute cour, en jetant des cris de victoire. Mais ils n'y rencontrent aucune résistance. Les survivants — ils ne sont plus qu'une poignée — se sont tous réfugiés dans les trois tours du donjon. Ils savent que l'endroit est inaccessible. D'un côté, des murs et une porte à toute épreuve; de l'autre, le vide, au-dessus du grand berquil. Les hommes du sultan veulent employer les mangonneaux pour abattre le donjon. Mais le sultan a une meilleure idée; il préfère ménager le bâtiment parce qu'il compte bien s'y installer à son tour.

Baïbars la Panthère

Cet homme est un géant. Il fait peur à ses propres guerriers. Fils d'esclave, il n'a jamais reculé devant aucune audace pour parvenir au but qu'il s'est fixé.

Il n'était encore que lieutenant quand il a fait assassiner le sultan d'Égypte, Kotouz, afin de prendre sa place. Baïbars, tout le monde le sait, ne quittera pas les lieux avant de s'être emparé du château. Il a déjà fait distribuer à ses hommes des bijoux et de somptueux vêtements pour les encourager à se battre.

Depuis dix ans, il mène une guerre incessante contre les croisés et il a juré de chasser du pays tous les chrétiens. Il a bien mérité son surnom de Baïbars, la Panthère.

La reddition

Baïbars inspecte les travaux de siège. Il entend ses hommes apostropher les derniers défenseurs. Autour de lui, les uns conseillent de les affamer, les autres de mettre le feu dans les souterrains. Des chroniqueurs sont là et notent les détails du siège. Mais le sultan préfère attendre.

Le 8 avril, les chevaliers retranchés à l'intérieur du donjon reçoivent un courrier. Par quel hasard ce message a-t-il pu leur parvenir? Ils ne le savent pas, mais ils croient reconnaître le sceau du gouverneur de Tripoli. Celui-ci leur enjoint de se rendre. Que faire? Après s'être consultés, ils décident d'obéir et ouvrent la porte.

C'était une ruse : la lettre était un faux message. Les derniers Hospitaliers sont pris et ils doivent rendre leurs armes. Le sultan fait dresser au sommet du donjon une bannière qui porte des versets du Coran. Il a gagné.

Une seconde vie

Le siège du Krak a duré cinq semaines, mais seule la ruse a permis de s'emparer de ce puissant château fort. Peu après sa victoire, Baïbars envoie personnellement un message à Hugues de Revel, grand maître de l'ordre des Chevaliers de Saint-Jean-de-Jérusalem. Il lui annonce la chute de la forteresse.

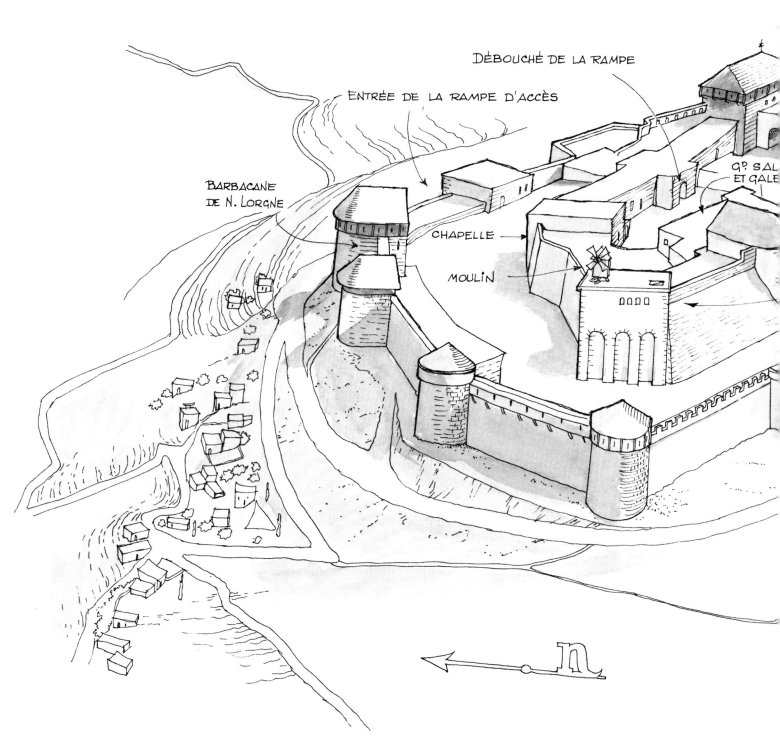

DÉBOUCHÉ DE LA RAMPE

ENTRÉE DE LA RAMPE D'ACCÈS

G^{DE} SAL ET GALE

BARBACANE DE N. LORGNE

CHAPELLE

MOULIN

n

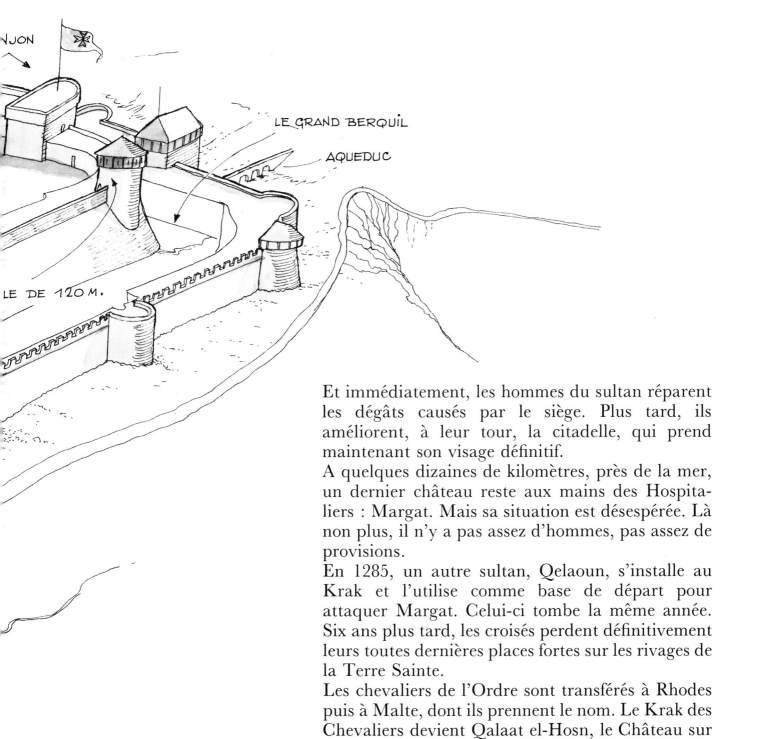

NJON

LE GRAND BERQUIL

AQUEDUC

LE DE 120 M.

Et immédiatement, les hommes du sultan réparent les dégâts causés par le siège. Plus tard, ils améliorent, à leur tour, la citadelle, qui prend maintenant son visage définitif.

A quelques dizaines de kilomètres, près de la mer, un dernier château reste aux mains des Hospitaliers : Margat. Mais sa situation est désespérée. Là non plus, il n'y a pas assez d'hommes, pas assez de provisions.

En 1285, un autre sultan, Qelaoun, s'installe au Krak et l'utilise comme base de départ pour attaquer Margat. Celui-ci tombe la même année. Six ans plus tard, les croisés perdent définitivement leurs toutes dernières places fortes sur les rivages de la Terre Sainte.

Les chevaliers de l'Ordre sont transférés à Rhodes puis à Malte, dont ils prennent le nom. Le Krak des Chevaliers devient Qalaat el-Hosn, le Château sur la Montagne, chef-lieu de la Province Royale des Conquêtes Heureuses.

LEXIQUE

Adoubement : cérémonie par laquelle un homme devient chevalier. Le futur chevalier passe d'abord plusieurs heures en méditation, parfois même la nuit entière en prières. Au jour de l'adoubement, son parrain — un autre chevalier plus ancien — lui remet son épée et ses étriers. D'un geste, il le sacre chevalier : il lui donne un fort coup du plat de la main à la base du cou; plus tard, ce geste sera remplacé par des coups du plat de l'épée sur l'épaule. L'adoubement est souvent accompagné de festivités, d'un banquet, d'un tournoi où le jeune chevalier devra faire ses preuves.

Assommoir : trou pratiqué dans le plafond d'un couloir ou d'une salle. Il permet de jeter sur les assaillants toutes sortes d'objets destinés à les assommer.

Barbacane : construction qui défend l'accès d'une porte d'un château fort. Quelquefois, la barbacane peut prendre l'aspect d'un véritable petit château, en avant du vrai château fort.

Berquil : plusieurs châteaux forts des croisés, en Terre Sainte, comportent un berquil. Profond de 2 à 3 mètres, ce gigantesque bassin est parfois creusé à même le rocher. Au Krak, il est formé de dalles jointes entre elles. Tout un système de tuyaux et de canalisations a pour but de recueillir l'eau de pluie. Le berquil, par sa surface, sert aussi de protection, comme un fossé.

Besant : c'est la monnaie de Constantinople, que l'on appelle aussi Byzance (d'où son nom). En or ou en argent, elle deviendra la monnaie commune à tous les croisés.

Bordj : mot arabe que l'on retrouve dans tous les pays d'Afrique du Nord et du Moyen-Orient. Il désigne une maison fortifiée, le plus souvent isolée et située sur une hauteur.

Boucher : jusqu'au XIIᵉ siècle, le travail du boucher n'est pas une véritable spécialité. C'est à partir de cette époque, où les gens des villes consomment davantage de viande, que la boucherie devient un métier et prend un nom.

Cage à écureuil : cette machine, que l'on appelle quelquefois une « tournette », est une grande roue creuse. A l'intérieur, un ou deux hommes marchent en appuyant leurs pieds sur des traverses de bois qui font tourner la roue. Cet engin a été le procédé de levage le plus couramment employé quand on ne pouvait pas se servir de la force de l'eau ou du vent. Il a été utilisé jusqu'à l'invention des machines à vapeur.

Calife : souverain de l'Empire musulman, le calife est considéré comme le successeur du prophète Mahomet.

Carreau : projectile que lance une arbalète. Contrairement à ce que l'on croit souvent, l'arbalète est une arme très ancienne, dont on trouve la trace dès l'Antiquité. Au XIIIᵉ siècle, l'arbalète est perfectionnée pour devenir plus puissante. C'est une arme meurtrière, mais longue à charger. Les croisés emploient souvent les services d'arbalétriers génois.

Catapulte : machine de guerre que l'on utilise pour lancer des projectiles contre les murailles ou à l'intérieur des places-fortes.

Chapelain conventuel : le chapelain est l'homme qui s'occupe d'une chapelle, qui en assure le service religieux. Chez les Hospitaliers, les chapelains vivent comme des moines dans un couvent : on les dit donc conventuels.

Chapitre : c'est la réunion de tous les moines, des chapelains ou des chanoines. Le chapitre est généralement présidé par le plus âgé de tous, le doyen, aidé du chantre et de l'écolâtre. Un trésorier s'occupe des questions financières et un sacristain de l'entretien des meubles et des objets.
La décision du chapitre est notée par écrit. Un sceau est apposé au bas du document pour prouver son authenticité; un chancelier garde le sceau et conserve les archives.

Chevalier : ce combattant à cheval est un homme qui a suffisamment de fortune pour entretenir cet animal coûteux, et qui a reçu l'enseignement nécessaire aux combats de cavalerie. Chez les Hospitaliers, cependant, les chevaliers ne possèdent rien en propre et tous leurs biens reviennent à l'ordre. Cette règle tendra à disparaître au XIIIᵉ siècle. Pendant les croisades, les ordres de chevalerie deviennent extrêmement riches et puissants. Ils constituent de véritables États à l'intérieur de l'État. Au XIVᵉ siècle, le roi de France Philippe le Bel, redoutant son immense influence, fera dissoudre l'ordre des Templiers.

Cotte : vêtement qui, au Moyen Age, recouvre l'ensemble du corps, comme une sorte de robe.

Denier : monnaie dont le nom remonte à l'époque romaine. Elle correspond à une subdivision d'un bloc d'argent d'une livre (environ 350 grammes de notre système actuel).
Jusqu'au XIIᵉ siècle, les Occidentaux ne connaissent, pour fabriquer leur monnaie, que l'argent et différents alliages. C'est pourquoi, dans notre vocabulaire moderne, le mot « argent » est toujours utilisé pour désigner le métal et la monnaie. L'or n'a été employé qu'à partir du XIIIᵉ siècle (1252, le florin, monnaie de la ville de Florence).

Destrier : cheval de bataille. A ne pas confondre avec le palefroi, cheval d'apparat.

Dinar : nom arabe de la monnaie la plus employée. Ce mot vient du « denier » (voir ci-dessus).

Émir : ce titre fut d'abord porté par le chef du monde musulman, puis par les descendants de Mahomet. Par la suite, il désigne certains princes et souverains.

Fumoir : dans une pièce spéciale, des gens alimentent en permanence un feu produisant une épaisse fumée. Celle-ci, en se déposant sur les quartiers de viande salée et séchée, les protège contre le pourrissement. Cette méthode est couramment employée par les paysans de l'époque. Cependant, à cause du climat chaud des pays méditerranéens, les viandes fumées se conservent moins longtemps.

Gamboison : ce vêtement matelassé renforce la protection contre les coups et les projectiles. Il aide le corps à mieux supporter le haubert et, plus tard, l'armure.

Haubert : les armures faites complètement de métal n'existent pas encore. Pour se protéger, les combattants portent donc ce vêtement de mailles de métal qui recouvre le buste et une partie des jambes. Il y a également une capuche qui abrite la tête.

Heaume : casque qui recouvre complètement la tête.

Hommage : il s'agit d'une cérémonie importante où deux seigneurs, l'un plus puissant que l'autre, se reconnaissent des liens de fidélité. L'hommage représente réellement une sorte de contrat : le vassal doit obéissance et service armé à son suzerain; le suzerain doit protéger et assurer la subsistance du vassal.

Hourd : sorte de plancher en bois qui est construit en surplomb des murailles ou des tours. A notre époque, au sommet des murs des châteaux forts, on voit encore très souvent les trous dans lesquels venaient se loger les poutres.
Au temps de leur utilisation, les châteaux forts étaient toujours couverts de toits et de hourds.

Huche : c'est une sorte de grand panier rempli de terre et de pierres. Pleine, elle peut peser jusqu'à deux tonnes. Ce contrepoids n'est pas toujours suffisant pour lancer des projectiles au loin et quelquefois, des hommes accélèrent le mouvement de la catapulte par un système de cordes.

Mâchicoulis : ce système remplace peu à peu les hourds. Il s'agit de trous ménagés dans la pierre et permettant de jeter sur les assaillants toutes sortes de projectiles. A la différence des hourds, les mâchicoulis ne sont pas en bois et ne peuvent donc pas prendre feu.

Maître de l'œuvre : ainsi nomme-t-on les architectes des châteaux forts. Ils possèdent certaines notions théoriques, héritées des architectes grecs et romains, mais sont surtout riches d'expérience. Ils sont aussi bien capables de bâtir une forteresse qu'une chapelle ou tout autre monument.
Puisqu'ils imaginent le plan du château fort, ils en connaissent tous les secrets et ce sont des gens de confiance. Ils sont aussi capables de conduire un siège et étudient pour cela la « poliorcétique », l'art d'assiéger les villes.

Mangonneau : sorte de catapulte (voir ce mot).

Nacaire : une timbale, sorte de tambour de cavalerie, instrument originaire du Moyen-Orient.

None : la neuvième heure... par rapport au lever du soleil. Si l'on observe les cadrans solaires qui subsistent encore sur certains bâtiments anciens, on peut ainsi remarquer que les heures indiquées ne correspondent pas toujours à nos heures actuelles, composées tout au long de l'année de 60 minutes.

Obole : petite monnaie.

Parement : les murs des châteaux forts peuvent mesurer de 2 à 10 mètres d'épaisseur. Parement et blocage rendent les murailles extrêmement solides. Même les premières pièces d'artillerie sont incapables de les ébranler. Les assiégeants essaient toujours de frapper un château dans ses points faibles : les portes, par exemple. Quelquefois, des escaliers et des couloirs sont dissimulés à l'intérieur du blocage, entre les deux parements.

Pic : marteau de tailleur de pierre aux extrémités pointues.

Piéton : combattant à pied.

Pite, pougeoise : noms de petites pièces de monnaie couramment employées en Occident. On prendra plus tard l'habitude de désigner la monnaie selon le dessin qui figure sur les pièces : un « écu » par exemple (le blason d'un prince), ou un « franc » (guerrier franc à cheval).

Poinçon : instrument de métal que les tailleurs de pierre emploient pour achever leur travail. Ces hommes sont des artisans habiles, extrêmement recherchés. Ils mettent un point d'honneur à tailler des blocs qui peuvent s'encastrer les uns dans les autres, sans l'aide de mortier. Ils considèrent les maçons avec un certain mépris.

Poulain : ce mot désigne à l'origine le petit d'un animal, et surtout, celui du cheval. Les croisés appelaient ainsi les enfants de ceux qui s'étaient installés en Orient. Leur père était souvent originaire d'Occident, leur mère, une chrétienne née au Proche-Orient.
Ces « poulains », habitués dès leur enfance aux mœurs orientales, acceptent assez mal la venue des nouveaux croisés qui prétendent tout diriger sous prétexte qu'ils font la croisade.

Saloir : le sel, et la saumure, est en dernier recours le principal moyen de conserver légumes et viandes. En Orient, les croisés découvrent le sucre et aussi la manière de conserver les fruits à l'aide de celui-ci (fruits confits, confitures).

Servants d'armes : ces soldats ne sont pas chevaliers. Ils sont le plus souvent rétribués pour leur travail.

Sultan: nom du souverain de l'empire des Turcs ottomans. D'autres princes musulmans adopteront également ce titre.

Suzerain : le seigneur à qui l'on doit obéissance.

Têtu : marteau de tailleur de pierre. C'est un outil très lourd, aux faces légèrement creuses; il sert à dégrossir le bloc que l'on taille.

Trait : ce mot peut désigner la flèche d'un arc ou le carreau d'arbalète.

Trébuchet : au Moyen Age, on donne ce nom à une petite balance, utilisée par les changeurs de monnaie. Des catapultes, fonctionnant sur le principe de la balance, portent également ce nom.

Turcoples : mercenaires employés par les croisés et qui sont de religion musulmane.

Vassal : l'homme qui obéit à un suzerain. On peut être vassal de plusieurs suzerains, mais on est l'homme lige d'un seul, celui à qui l'on doit une fidélité absolue et le service armé en toute occasion.

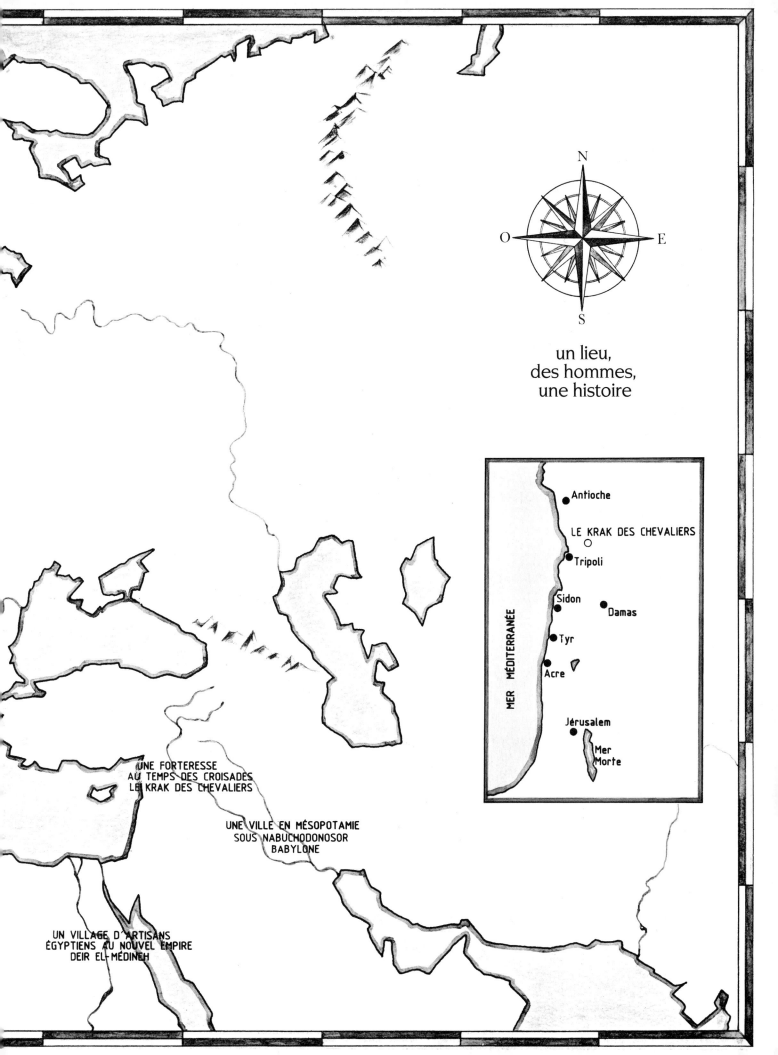

un lieu,
des hommes,
une histoire

LE KRAK DES CHEVALIERS

MER MÉDITERRANÉE

Antioche

Tripoli

Sidon

Damas

Tyr

Acre

Jérusalem

Mer
Morte

UNE FORTERESSE
AU TEMPS DES CROISADES
LE KRAK DES CHEVALIERS

UNE VILLE EN MÉSOPOTAMIE
SOUS NABUCHODONOSOR
BABYLONE

UN VILLAGE D'ARTISANS
ÉGYPTIENS AU NOUVEL EMPIRE
DEIR EL-MÉDINEH

Dans la même collection :
Luttrell, un village au Moyen Age
par Sheila Sancha

**Une cité fortifiée à l'âge du fer,
Biskupin**
par Grégoire Soberski

A paraître :
**Un village d'artisans égyptiens au Nouvel Empire,
Deir El-Medineh**
par Viviane Koenig et Michel Jay

**Une ville en Mésopotamie sous Nabuchodonosor,
Babylone**
par Étienne Morin

**Un site de chasseurs préhistoriques,
Rouffignac**
par Louis-René Nougier et Véronique Ageorges

Un fleuve en 1850, la Loire
par Jacques Poirier

Imprimerie Hérissey — Évreux (Eure)